Clara, Alix, Margaux, Manon, Malcie

Loi numéro 49 956 du 16 juillet 1949 sur les publications
destinées à la jeunesse : septembre 1993
Dépôt légal : septembre 2005
Imprimé en Italie

Diffusion l'école des loisirs

www.editions-kaleidoscope.com

Sylvie Auzary-Luton

Loup y es-tu ?

kaléidoscope

Promenons-nous dans les bois,
pendant que le loup n'y est pas.

Promenons-nous dans les bois,
pendant que le loup n'y est pas.
Si le loup y était, il nous mangerait.
Mais comme il n'y est pas,
il ne nous mangera pas.

Loup, y es-tu ?

OUI !

Que fais-tu ?

JE METS
MA CULOTTE !

Promenons-nous dans les bois,
pendant que le loup n'y est pas.
Si le loup y était, il nous mangerait.
Mais comme il n'y est pas,
il ne nous mangera pas.

Loup, y es-tu ?

OUI !

Que fais-tu ?

JE METS MA CHEMISE !

Promenons-nous dans les bois,
pendant que le loup n'y est pas.
Si le loup y était, il nous mangerait.
Mais comme il n'y est pas,
il ne nous mangera pas.

Loup, y es-tu ?

OUI !

Que fais-tu ?

LAPIN

JE METS MON PANTALON !

Promenons-nous dans les bois,
pendant que le loup n'y est pas.
Si le loup y était, il nous mangerait.
Mais comme il n'y est pas,
il ne nous mangera pas.

Loup, y es-tu ?

OUI !

Que fais-tu ?

JE METS
MA VESTE !

Promenons-nous dans les bois,
pendant que le loup n'y est pas.
Si le loup y était, il nous mangerait.
Mais comme il n'y est pas,
il ne nous mangera pas.

Loup, y es-tu ?

OUI !

Que fais-tu ?

JE METS MES LUNETTES !

Promenons-nous dans les bois,
pendant que le loup n'y est pas.
Si le loup y était, il nous mangerait.
Mais comme il n'y est pas,
il ne nous mangera pas.

Loup, y es-tu ?

OUI !

Que fais-tu ?

JE SORS !

HÉ ! ATTENDEZ !

HISTOIRES
de
Loups
à raconter
aux enfants